Fabienne Azém

Comprends mieux tes parents

LES ESSENTIELS MILAN JUNIOR

Sommaire

Introduction

Victor, l'enfant sauvage 6-7

Ils veulent mon bonheur

La famille au fil du temps 8
L'évolution des relations parents-enfants 9
C'est pour ton bien 10-11
Tu n'as pas le droit 12-13
Les parents font bloc 14-15

Qui sont mes parents ?

Pourquoi travaillent-ils autant ? 16-17
Ils commettent des erreurs 18-19
Mes parents me font-ils confiance ? 20-21
Les parents et la sexualité 22-23
Leur argent et le mien 24-25
Comment parler avec mes parents ? .. 26-27